D1241580
WITHDRAWN

Pour Clémentine

© 2005, *l'école des loisirs*, Paris

Loi 49956 du 16 juillet 1949,
sur les publications destinées à la jeunesse.
Dépôt légal : janvier 2009
ISBN 978-2-211-07793-4

Mise en pages : *Architexte*, Bruxelles
Photogravure : *Media Process*, Bruxelles
Imprimé en Italie par *Grafiche AZ*, Vérone

LAPIN BISOU

Émile Jadoul

PASTEL
l'école des loisirs

Public Library
Incorporated 1862
Barrie, Ontario

Chaque soir, avant d'aller au lit,
Lapin Câlin et Maman Lapin
se donnent des bisous.

«Moi, dit Maman Lapin,
je te donne un bisou secret.»

Alors, Maman Lapin dépose un bisou dans le creux de l'oreille de Lapin Câlin.

«Ça, ça chatouille !» dit Lapin Câlin.

«Moi, dit Lapin Câlin,
je te donne un bisou esquimau.»

Alors, Lapin Câlin frotte son nez contre le nez de Maman Lapin.

«Ça, c'est marrant !» dit Maman Lapin.

«Moi, dit Maman Lapin,
je te donne un bisou
sur les deux mains à la fois.»

Alors, Maman Lapin dépose un bisou sur le bout des mains de Lapin Câlin.

«Ça, c'est malin !» dit Lapin Câlin.

«Moi, dit Lapin Câlin, je te donne plein de bisous dans la poche.»

Alors, Lapin Câlin dépose des bisous dans la poche de Maman Lapin.

«Ça, c'est beaucoup !» dit Maman Lapin.

bisou bisou biso

«Moi, dit Maman Lapin,
je te donne un bisou papillon.»

*Alors, Maman Lapin frotte son œil
contre l'œil de Lapin Câlin.*

«Ça, c'est doux !» dit Lapin Câlin.

«Moi, dit Lapin Câlin,
je te donne un collier de bisous.»

Alors, Lapin Câlin dépose des bisous
dans le cou de Maman Lapin.

«Ça, c'est joli !» dit Maman Lapin.

bisou bisou bisou

«Maintenant, dit Maman Lapin, je te donne un dernier bisou et puis… au lit!»

Alors, Maman Lapin dépose un bisou tendre sur le front de Lapin Câlin.

«Ça, c'est trop court!» dit Lapin Câlin, qui a encore envie de jouer.

« Maman Lapin, Maman Lapin !
Attrape vite mon dernier bisou…

. . . qui vole !»

«Ça, c'est léger léger !»
dit Maman Lapin.

Alors, Maman Coquine…

… dépose vite un dernier bisou
sur la joue de Lapin Câlin.
Un bisou cœur pour toute la nuit.

«Ça, c'est magique !» dit Lapin Câlin.